# Gauguin

par Isabelle Cahn, documentaliste de l'exposition
et Claire Frèches-Thory, commissaire de l'exposition

Galeries nationales du Grand Palais
Paris
14 janvier-24 avril 1989

Ministère de la Culture, de la Communication,
des Grands Travaux et du Bicentenaire

Editions de la Réunion des musées nationaux

L'exposition a été présentée
du 1ᵉʳ mai au 31 juillet 1988
à la National Gallery of Art de Washington
et du 17 septembre au 11 décembre 1988
à l'Art Institute de Chicago

Commissaires :

Richard Brettell
Directeur du Dallas Museum of Art, Dallas

Françoise Cachin
Directeur du musée d'Orsay, Paris

Claire Frèches-Thory
Conservateur au musée d'Orsay, Paris

Charles F. Stuckey
Conservateur à l'Art Institue de Chicago

Cette exposition a été organisée par
la Réunion des musées nationaux / musée d'Orsay,
la National Gallery de Washington
et l'Art Institute de Chicago

Elle est réalisée à Paris en association avec Olivetti

ISBN 2-7118-2-239-7

*Autoportrait à la palette*
vers 1894, huile sur toile
Collection particulière
(cat. 159)

*Autoportrait*
Vers 1888, huile sur toile
Moscou, musée des Beaux-Arts Pouchkine

*Vase en forme de tête, autoportrait*
janvier (?) 1889, grès émaillé
Copenhague, Det Danske Kunstindustrimuseet
(cat. 64)

# Du portrait au mythe

Des portraits posés devant l'objectif du photographe aux autoportraits peints, modelés ou sculptés, sans oublier les innombrables descriptions autobiographiques et les témoignages de ses contemporains, Gauguin a laissé de nombreuses et fortes images de lui-même.

Quittant la tenue de l'employé modèle, il façonna son image d'artiste, revendiquant une ascendance de noblesse espagnole pour expliquer l'originalité de son comportement. «... Par les femmes, je descends d'un Borgia d'Aragon, vice-roi du Pérou » (*Avant et après*, 1923, p. 7). Adoptant les théories biologiques de son temps, il n'hésitait pas à affirmer à sa femme : «Il faut te souvenir qu'il y a deux natures en moi — l'Indien et la sensitive — la sensitive a disparu ce qui permet à l'Indien de marcher tout droit et fermement » (lettre de Gauguin à Mette [22 janvier-6 février 1888]. Cette orgueilleuse énergie, souvent entamée par les difficultés artistiques, financières et familiales, fut l'une des forces vives de sa création.

Gauguin cultiva toute sa vie la distinction. Il avait adopté le costume breton pendant ses séjours à Pont-Aven et au Pouldu (gilet brodé et sabots de bois sculptés) et lorsqu'il débarqua à Tahiti, il portait les cheveux longs sous le casque colonial à la manière des rapins du début du siècle et des « sauvages », ce qui lui valut le surnom de « taata-vahine » (l'homme-femme). A son retour à Paris, en 1894, à une époque où il fréquentait les cercles symbolistes, il se promenait couvert d'une ample cape et d'un bonnet d'astrakan qui le faisait ressembler à un Magyar (Hongrois). Aux réunions du mardi de Mallarmé, Henri de Régnier fut impressionné par son allure et la force de sa personnalité : «Il asseyait lourdement son corps massif. Le torse couvert d'un tricot de matelot, le visage rude, le teint boucané, les mains énormes, il donnait une impression de force et de brutalité... » (*Nos rencontres*, 1931, pp. 207-208).

A ces images énergiques s'est très vite superposée celle de l'artiste maudit, abandonné sans ressources sur une île du Pacifique, menant jusqu'au bout de ses forces un combat artistique inspiré. « Gauguin, c'est le loup maigre sans collier », avait dit Degas en 1893. Gauguin demeura prisonnier de son propre mythe jusqu'à la fin de sa vie : « Vous êtes actuellement cet artiste inouï, légendaire, qui du fond de l'Océanie envoie ses œuvres déconcertantes, inimitables, œuvres définitives d'un grand homme pour ainsi dire disparu du monde » (lettre de Daniel de Monfreid à Gauguin, 14 novembre 1902). Cette image n'en finit plus de hanter l'esprit des artistes et des amateurs de notre siècle qui recherchent dans son œuvre l'exaltation du génie et le désarroi de l'artiste solitaire.

**1848**
7 juin : Naissance à Paris d'Eugène Henri Paul Gauguin, deuxième enfant de Clovis Gauguin, journaliste au *National* et d'Aline Chazal, fille de Flora Tristan.

**1849**
août : La famille s'embarque pour le Pérou. Le père de Gauguin meurt pendant la traversée. Aline et ses deux enfants séjournent à Lima chez un grand-oncle, pendant cinq ans.

**fin 1854-début 1855**
Retour en France et installation à Orléans où Paul poursuit sa scolarité.

**1864**
décembre : Il s'engage comme pilotin (élève-officier) dans la marine marchande.

**1868-1871**
Il effectue son service militaire dans la marine.

Jules Laure, *Paul Gauguin*
huile sur toile
Saint-Germain-en-Laye,
Musée départemental du Prieuré

*Paul Gauguin*
Paris, Harlingue-Viollet

# Les années impressionnistes : 1871-1886

C'est en peintre du dimanche et en pur autodidacte que Gauguin fait irruption sur la scène parisienne au cours des années 1870. Il était alors employé chez l'agent de change Bertin, confrère de son tuteur, le collectionneur et photographe, Gustave Arosa, spécialiste en reproduction d'œuvres d'art. Gauguin y fit la connaissance d'un autre peintre amateur, Emile Schuffenecker, qui restera un de ses plus fidèles soutiens (voir n° 61).

Si Gauguin ne suivit pas l'enseignement classique d'un atelier à l'Ecole des Beaux-Arts, il n'en réussit pas moins à faire admettre un de ses paysages au Salon officiel en 1876. Mais c'est dans le camp des francs-tireurs de la peinture, celui des impressionnistes, qu'il réussit rapidement à trouver sa place, gagnant l'amitié de Pissarro (n° 1) et celle de Degas. La plupart de ses gains passent alors en achats de peintures et Gauguin se révèle un collectionneur audacieux d'œuvres impressionnistes de Pissarro mais aussi de Manet, Monet, Renoir, Sisley, Guillaumin, Cassatt, Degas et Cézanne.

En 1879, Gauguin apparaît au catalogue de la quatrième exposition impressionniste en tant que prêteur de deux toiles et d'un éventail de Pissarro ; il réussit par ailleurs à y glisser une de ses œuvres, une sculpture de facture encore assez académique. Dès lors, il participera à toutes les expositions du groupe en dépit des dissensions croissantes relatives à l'organisation de ces manifestations jusqu'en 1886. Sa peinture est alors très proche de celle de Pissarro comme en témoignent *Les Pommiers à l'Hermitage près de Pontoise* (n° 2), *Bâtiments autour d'une ferme* (n° 3) ou encore le *Paysage de neige* de 1883 (n° 12), trois toiles qui montrent l'adoption par Gauguin des thèmes et de la technique chers au vieux maître de l'impressionnisme. A la fin des années 1870 et jusqu'en 1883, celui-ci joue auprès de Gauguin le rôle de mentor qu'il avait assuré peu auparavant pour Cézanne, l'invitant à peindre à ses côtés à Pontoise, Osny puis Rouen.

En 1881, Gauguin se fait remarquer par l'envoi à la sixième exposition impressionniste d'une *Etude de nu, Suzanne cousant* (n° 4)

*Paul Gauguin en 1873*
photographie
Saint-Germain-en-Laye,
Musée départemental du Prieuré

*Autoportrait*
Carnet de croquis de Bretagne, 111
Collection Armand Hammer

*Autoportrait*
Carnet de croquis de Bretagne, 86
Collection Armand Hammer

*Effet de neige*
1883, huile sur toile
Collection Neil A. McConnell
(cat. 12)

*Etude de nu ou Suzanne cousant*
1880, huile sur toile
Copenhague, Ny Carlsberg Glyptotek
(cat. 4)

*La Chanteuse* (Portrait de Valérie Roumi)
1880, acajou et plâtre polychrome avec rehauts d'or
Copenhague, Ny Carlsberg Glyptotek
(cat. 5)

dans laquelle le critique Huysmans devait voir un des sommets du réalisme, renouant par-delà Courbet avec le génie du Rembrandt de la *Bethsabée*. Cette toile frappe, en effet, par une étonnante modernité qui semblait jusqu'alors n'appartenir qu'à Degas.

C'est à ce même artiste que font penser les premiers essais de Gauguin comme sculpteur tels le médaillon *La Chanteuse* (n° 5) ou le curieux *Coffret décoré de figures de danseuses* (n° 9). En dépit d'une brouille passagère, Degas resta un des ardents défenseurs de Gauguin, lui achetant des œuvres à plusieurs reprises (n°s 89, 127, 143). Son influence sur l'œuvre de Gauguin devait persister long-temps, caractérisée par des compositions décentrées (n°s 7, 20), des nus d'une franchise audacieuse (n° 34) et des cadrages insolites (n° 30).

Par-delà la rupture de l'été 1888 où il tour-nera radicalement le dos à la technique et à l'esthétique impressionnistes (voir n° 50), il est des admirations que Gauguin ne reniera pas: Pissarro, Degas et Cézanne dont il possédait notamment une nature morte à laquelle il tenait plus que tout (n° 111).

# Paris, Pont-Aven, Le Pouldu : 1886-1890

**1886**
juin : Il fréquente l'atelier du céramiste Chaplet.
juillet-octobre : Premier séjour en Bretagne : Pont-Aven et probablement Le Pouldu.

**1887**
10 avril : Départ pour Panama qu'il quitte à la mi-mai pour la Martinique où il reste jusqu'au mois d'octobre.
décembre : Theo van Gogh présente pour la première fois des œuvres de Gauguin à la Galerie Boussod et Valadon, dont il est le gérant.

**1888**
fin janvier-début février : Départ pour un nouveau séjour à Pont-Aven en compagnie d'Emile Bernard, Charles Laval, Paul Sérusier.
octobre-décembre : Il habite avec Vincent van Gogh à Arles.

**1889**
février : Participe à l'exposition des XX à Bruxelles.
mi-février/mi-avril : Séjour à Pont-Aven.
juin-octobre : Organise et participe à l'« Exposition du groupe impressionniste et synthétiste » au café des arts, chez Volpini, dans l'Exposition Universelle.

Fuyant Paris et les querelles artistiques autour de l'impressionnisme, Gauguin se réfugia au mois de juin 1886 dans la bourgade de Pont-Aven, à mi-chemin de Quimperlé et Concarneau. Premier d'une longue série, ce séjour fut l'occasion de trouver, au-delà du pittoresque, de nouveaux motifs pour sa peinture. Il couvrit ses carnets de croquis (cochons, oies, moutons) et dessina au pastel des figures plus élaborées (nᵒˢ 18 à 21) : jeunes paysannes en costume local, petits gardiens de troupeaux, qu'il reprenait ensuite dans des tableaux (*La Bergère bretonne*, nᵒ 17) et des céramiques (nᵒˢ 24, 25, 28).

C'est à Pont-Aven, en 1888, qu'il entama ses premières recherches sur la « synthèse ». Il vivait là entouré d'un cénacle de jeunes artistes à qui il dispensait ses conseils : Emile Bernard, Charles Laval, Paul Sérusier. C'est à ce dernier qu'il dicta sous forme d'une leçon de peinture les préceptes de ses nouvelles conceptions plastiques : « Comment voyez-vous ces arbres ? (...) Ils sont jaunes : eh bien, met-tez du jaune ; cette ombre plutôt bleue, peignez-la avec de l'outremer pur ; ces feuilles rouges ? Mettez du vermillon. » (M. Denis, *Paul Sérusier, sa vie, son œuvre*, 1942, p. 42). Cette simplification de la forme et de la couleur appliquée sur la toile en aplats, libérait la peinture des entraves du trompe-l'œil, et lui donnait une vocation plus spirituelle.

Gauguin trouvait un écho à ses recherches dans l'ambiance un peu rude de la vie locale : « J'aime la Bretagne, j'y trouve le sauvage, le primitif. Quand mes sabots résonnent sur ce sol de granit, j'entends le ton sourd, mat et puissant que je cherche en peinture », écrivait-il à Schuffenecker [quatrième semaine de février ou 1ᵉʳ mars 1888]. *La Vision du sermon* (nᵒ 50) est le tableau-clé de cette nouvelle esthétique par le symbolisme du sujet et la technique (aplats de couleurs, juxtaposition d'espaces, refus des règles de la composition traditionnelle). Gauguin puisa dans l'art japonais, diffusé en Europe par le commerce des estampes, de nouvelles formules de perspective et de modelé. Cette influence est aussi sensible dans *Les Enfants luttant* (nᵒ 48), *Marine avec vache au-dessus du gouffre* (nᵒ 53), *La Belle Angèle* (nᵒ 89), etc. L'historienne d'art, Merete Bodelsen, a remarqué la première la similitude entre la technique du cloisonné en céramique, que Gauguin prati-

*Portrait de Gauguin par lui-même*
fin 1889, huile sur bois
Washington, National Gallery
Chester Dale Collection

**Paul Gauguin**, photographie
prise à Pont-Aven
par un amateur en août 1888
Paris, musée du Louvre
Département des Arts graphiques, musée d'Orsay

Gauguin, *Les Misérables*
1888, huile sur toile
Amsterdam, Rijksmuseum Vincent van Gogh
Fondation Vincent van Gogh

11

quait alors dans l'atelier de Chaplet (n° 24), et l'application des couleurs sur la toile en aplats cernés d'un trait sombre qui est désignée, par analogie, sous le terme de cloisonnisme (voir nᵒˢ 47, 48, 50, 54...)

*L'Exposition du groupe impressionniste et synthétiste*, qui s'est tenue dans un café aux portes du palais des Beaux-Arts, pendant l'Exposition Universelle de 1889 à Paris, fut un véritable manifeste de cette nouvelle esthétique. Elle était organisée par Gauguin lui-même pour «un petit groupe de copains» : Schuffenecker, Laval, Anquetin, Bernard, Denis..., et passa à la postérité sous le titre d'«Exposition Volpini» du nom du propriétaire du café. Gauguin y présentait un album de zincographies inspirées par la Bretagne, Arles et la Martinique (nᵒˢ 67 à 77) et un ensemble de quatorze peintures (nᵒˢ 40, 48, 80), deux pastels et une aquarelle. La baigneuse *Ondine* (n° 80), intitulée dans le catalogue de l'exposition *Dans les vagues*, qui figure aussi dans une gouache (n° 83), un pastel (n° 81), une céramique (n° 82) un bas-relief en bois polychrome (n° 110), annonce les grands nus tahitiens.

De retour à Pont-Aven après l'installation de son exposition, Gauguin trouva le village encombré d'artistes et de touristes. Il se réfu-

gia alors dans le hameau du Pouldu, au bord de la mer, qu'il avait probablement fréquenté épisodiquement dès son premier séjour en Bretagne en 1886. Il s'installa à l'auberge de Marie Henry en compagnie du peintre Meyer de Haan. Ce petit hôtel, providence des artistes désargentés, est resté célèbre par la décoration aujourd'hui dispersée (nᵒˢ 86, 93, 96, 100, 101) de la salle à manger entreprise par les deux artistes de la mi-novembre à la mi-décembre 1889 et complétée pendant l'été 1890 avec la participation de Sérusier et Filiger. *La Statuette de Martiniquaise* (n° 86) y était installée sur une étagère près de la cheminée. *Le Portrait de Meyer de Haan* (n° 93) décorait l'une des portes d'une armoire en pendant à un *Autoportrait* (Washington, National Gallery of Art) peint sur le mode symboliste. Entre ces murs décorés, «qui stupéfiaient les rares voyageurs», régnait une grande effervescence dans le petit groupe de peintres que Gauguin venait d'associer à son aventure artistique. Plusieurs tableaux (nᵒˢ 84, 91, 97, 98) témoignent néanmoins de l'atmosphère un peu mélancolique du Pouldu dans laquelle Gauguin puisa l'énergie de nouveaux départs vers des horizons plus lointains.

Gauguin, *Autoportrait au Christ jaune*
1889-1890, huile sur toile
Collection particulière

Sérusier, *Paul Gauguin jouant de l'accordéon*
dessin
Paris, musée du Louvre,
Département des Arts graphiques, musée d'Orsay

Gauguin, *Autoportrait à l'ami Carrière*
1886 ?, huile sur toile
Washington, National Gallery of Art
Collection M. et Mme Paul Mellon

*La Vision du sermon*
été 1888, huile sur toile
Edimbourg, The National Galleries of Scotland
(cat. 50)

*Les Enfants luttant*
juillet 1888, huile sur toile
Collection Josefowitz
(cat. 48)

*La Belle Angèle*
été 1889, huile sur toile
Paris, musée d'Orsay
(cat. 89)

*Dans les vagues (Ondine)*
printemps 1889, huile sur toile
Cleveland museum of Art
(cat. 80)

*Les ramasseuses de varech*
1889, huile sur toile
Essen, Museum Folkwang
(cat. 98)

# Les céramiques

La céramique, que Gauguin pratiqua de 1886 à 1895 environ, lors de ses séjours parisiens, est demeurée un versant moins connu de son œuvre. Sur la bonne centaine de pièces qu'il a dû façonner, une soixantaine seulement sont parvenues jusqu'à nous, témoignant de l'originalité de l'artiste dans un domaine où triomphait un éclectisme douteux encouragé par la manufacture nationale de Sèvres alors à la remorque de l'Extrême-Orient. C'est au graveur Braquemond, impressionné par les qualités plastiques d'un bas-relief, *La Toilette* (coll. part.), présenté par Gauguin à la dernière exposition impressionniste en 1886, qu'est due la rencontre entre le peintre et le grand céramiste Ernest Chaplet. Rénovateur de l'art du grès pour la firme Haviland, celui-ci venait de reprendre à son compte l'atelier de la rue Blomet à Paris, voisin de l'appartement où résidait Gauguin à l'époque. C'est là que ce dernier s'initia à la technique des arts de la terre et du feu voulant comme il le précisa plus tard « remplacer le tourneur par des mains intelligentes qui pussent communiquer au vase la vie d'une figure tout en restant dans le caractère de la matière ».

*Vase à double tête de garçons*
1889, grès émaillé
Paris, Fondation Dina Vierny
(cat. 66)

*Vase à quatre anses décoré de paysans bretons*
1886-1887, grès
Paris, musée d'Orsay
(cat. 28)

Mises à part quelques pièces (nos 24, 25) formées au tour de potier, les céramiques de Gauguin sont façonnées à la main et revêtent les formes les plus bizarres, vases à un ou plusieurs orifices, multiples anses rajoutées en colombins (no 28). Les premières pièces sont souvent décorées de motifs de ses tableaux bretons (nos 27, 28, 38). Rivalisant avec les potiers japonais, Gauguin s'exerce progressivement aux effets colorés les plus subtils tirant profit des couleurs et oxydations dues à la cuisson, parfois rehaussées d'or (nos 64, 82). Il s'inspire également des vases-portraits péruviens (nos 37, 39, 62, 64, 66) dont il avait pu voir des exemples dans les collections de sa mère, de son tuteur Gustave Arosa ou dans celles, naissantes, du musée du Trocadéro, aujourd'hui Musée de l'homme. Ainsi voient le jour de véritables « céramiques-sculptures » (nos 85, 211), où symbolisme et primitivisme se combinent en un « rêve de fauve », pour reprendre le mot de Félix Fénéon, un des rares critiques à apprécier à l'époque cette surprenante production qui ne rapportera pas à Gauguin le profit financier qu'il en escomptait un peu naïvement.

*Vénus noire*
1889, grès émaillé
Syosset, Nassau County Museum
(cat. 85)

## L'aventure martiniquaise : juin-novembre 1887

Entraînant dans son sillage le jeune peintre Charles Laval, Gauguin, rêvant des Tropiques, s'embarque pour Panama où il arrive le 30 avril 1887. Là, d'insurmontables problèmes matériels le contraignent à se faire employer par la Société de percement du canal qui, peu après, débaucha ses ouvriers. Laval pour sa part ressent les premières atteintes de la fièvre jaune. Poursuivant leur rêve, les deux artistes réussissent cependant à gagner la Martinique où ils espèrent vivre à bon marché et disposer de nouveaux motifs pour peindre. Ils ne tardent pas à s'installer dans une modeste case indigène à deux kilomètres du port de Saint-Pierre que domine l'inquiétante montagne Pelée. « ... C'est un paradis à côté de l'isthme. En dessous de nous la mer bordée de cocotiers, au-dessus des arbres fruitiers de toutes espèces à vingt-cinq minutes de la ville. Des nègres et des négresses circulent toute la journée avec leurs chansons créoles et un bavardage éternel... Je ne pourrais te dire mon enthousiasme de la vie dans les colonies *françaises*... Nous avons commencé à travailler et

*Bord de mer*
1887, huile sur toile
Paris, Collection particulière
(cat. 32)

j'espère envoyer d'ici quelque temps des tableaux intéressants » écrit Gauguin à sa femme, Mette, le 20 juin 1887.

Peu nombreuses, les toiles que Gauguin rapportera de la Martinique trahissent en touches menues et presque scintillantes son éblouissement devant la nature tropicale si prodigue en formes et en couleurs (n° 31). A l'émerveillement ressenti devant des paysages édéniques se joint l'observation fascinée des indigènes noirs (n° 32), incarnation d'une vie primitive en apparence promise au bonheur. Etape importante dans l'appréhension de l'exotisme par l'artiste, le séjour martiniquais constitue également un nouveau pas dans la quête du primitivisme, qui orientera toutes ses recherches ultérieures.

Le rêve martiniquais devait pourtant prendre des allures de cauchemar, Gauguin ayant simultanément contracté le paludisme et la dysenterie, qui sévissaient alors à l'état endémique et le contraindront à regagner la France fin novembre où il arrive épuisé.

*Végétation tropicale*
1887, huile sur toile
Edimbourg, The National Galleries of Scotland
(cat. 31)

# Gauguin et van Gogh en Arles : automne 1888

Cédant à la demande pressante de Vincent van Gogh, qui désirait rompre sa solitude, Gauguin prit la route du Midi. L'aventure arlésienne commencée le 23 octobre 1888 s'acheva deux mois plus tard par l'épisode dramatique au cours duquel van Gogh, à la suite d'une querelle avec Gauguin, se trancha l'oreille.

Le désaccord entre les deux artistes se révéla dès le début du séjour : « Vincent voit ici du Daumier à faire, moi au contraire je vois du Puvis coloré à faire mélangé de Japon (lettre de Gauguin à Bernard [fin octobre-début novembre 1888]). « Il admire Daudet, Daubigny, Ziem et le grand Rousseau, tous gens que je ne peux pas sentir. Et par contre il déteste Ingres, Raphaël, Degas, tous gens que j'admire » (lettre de Gauguin à Bernard [troisième ou quatrième semaine de novembre 1888]). Aux vives discussions théoriques sur l'art s'ajoutait le choc de deux tempéraments opposés : « Il est romantique et moi je suis plutôt porté à un état primitif » (*ibid*).

Ils travaillèrent tous deux sur les mêmes motifs : la nécropole romaine des Alyscamps

*Vieilles femmes à Arles*, mi-novembre 1888, huile sur toile
The Art Institute of Chicago, Mr. and Mrs. Lewis L. Coburn Memorial Collection (cat. 58)

(n° 56), des Arlésiennes dans un jardin (n° 58) et le fameux café de la gare (n° 57) tenu par les époux Ginoux. On retrouve dans ce dernier tableau plusieurs personnages immortalisés par van Gogh : le zouave Milliet, le facteur Roulin, Mme Ginoux, au premier plan. Alors que Vincent cherchait à « exprimer avec le rouge et le vert les terribles passions humaines » (lettre à Theo, 8 septembre 1888), Gauguin traita le même sujet de manière plus distanciée « la couleur canaille ne me va pas » confiait-il à Emile Bernard [deuxième semaine de novembre 1888].

Avec l'orgueil demesuré qui le caractérise, Gauguin déclara dans son autobiographie à propos de son séjour à Arles qu'il avait perçu d'emblée sa supériorité artistique : « Van Gogh sans perdre un pouce de son originalité a trouvé en moi un enseignement fécond (...) Quand je suis arrivé à Arles, Vincent se cherchait, tandis que moi beaucoup plus vieux, j'étais un homme fait » (*Avant et après*, 1923, p. 19).

*Au Café*, novembre 1888, huile sur toile
Moscou, musée des Beaux-Arts Pouchkine (cat. 57)

# Le premier séjour tahitien : avril 1891-juillet 1893

Avant de fixer le cap sur Tahiti, Gauguin devait hésiter entre plusieurs destinations possibles, Java, le Tonkin puis Madagascar, île sur laquelle il devait se renseigner auprès de Mme Redon, originaire de la Réunion. Une des composantes de son rêve était de fonder cet « atelier des Tropiques » où il aurait réussi à réunir autour de lui un petit phalanstère d'artistes, Emile Bernard, Schuffenecker, Meyer de Haan, van Gogh (?), vivant à bon marché sous un ciel toujours bleu et en paisible harmonie avec la population indigène. Les pavillons exotiques de l'Exposition universelle, qu'il avait pu voir au printemps 1889 à Paris, n'avaient fait que renforcer son rêve de « fuir là-bas, fuir ! » rendu plus aigu encore par ses permanentes difficultés financières en métropole et son impérieux désir d'échapper aux contraintes d'une civilisation à ses yeux corrompue.

Il ne faut pas s'étonner que Tahiti ait finalement cristallisé les aspirations de Gauguin de se retrouver en harmonie avec une nature pri-

*Le port de Papeete,* vers 1890, photographie
Paris, musée de l'Homme

mordiale. Découverte en 1867 par le navigateur Bougainville, cette île lointaine venait en 1881 de passer du statut de protectorat à celui de colonie française. Il existait avant Gauguin toute une tradition primitiviste qui, nourrissant le mythe du « bon sauvage », s'était brillamment développée au XVIIIe siècle notamment sous la plume de Jean-Jacques Rousseau. Les récits de Bougainville lui-même avaient érigé Tahiti, « nouvelle Cithère », en archétype de l'Eden perdu. Tout récemment le mythe venait d'être remis à l'honneur par la publication en 1880 du roman autobiographique de Pierre Loti, *le Mariage de Loti,* relatant les amours de l'officier de marine de passage avec la belle vahiné Rarahu... La lecture de cet ouvrage ne fut pas étrangère à la décision de Gauguin dont les motivations profondes s'expriment dans une lettre à sa femme : « Là, à Tahiti, je pourrai, au silence des belles nuits tropicales, écouter la douce musique murmurante des mouvements de mon cœur en harmonie amoureuse avec les êtres mystérieux de mon entourage... » Finalement, c'est investi d'une mission officielle du directeur des Beaux-Arts afin « d'étudier au point de vue de l'art et des tableaux à en tirer les coutumes et les paysages de ce pays » (*Rue aux environs de Tahiti,* no 131, *Matamoe,* no 132) que Gauguin s'embarqua pour Tahiti, le 4 avril 1891. Le 23 février 1891, il avait organisé à l'hôtel Drouot une vente de ses œuvres destinée à financer son voyage et ses amis lui avait offert un banquet d'adieu le 23 mars présidé par le poète Mallarmé.

Boutet de Monvel, *Paul Gauguin*
Saint-Germain-en-Laye,
Musée départemental du Prieuré

Mais la réalité tahitienne telle que la découvre Gauguin à son arrivée à Papeete, au lendemain de la mort du roi Pomaré V, devait s'avérer tout autre. La colonisation récente avait déjà relégué dans un passé lointain les survivances de la civilisation primitive à laquelle Gauguin avait pensé se ressourcer. Aussi assigne-t-il à sa peinture le but magique d'évoquer, par les moyens plastiques récemment découverts en Bretagne, le passé mythique sous-jacent au présent vécu (*Parau na te varua ino*, nº 147). Ses portraits de tahitiennes où l'on cherche à retrouver les traits de sa jeune vahiné, Taha'amana (nºˢ 150, 158) — la Tehura de *Noa Noa* — expriment son idéal d'une Eve mythique résolument débarrassée de la tradition de culpabilité judéo-chrétienne (*Te nave nave fenua*, nº 148). Dans un de ses rares tableaux religieux, *Ia orana maria* (nº 135) il situe l'Annonciation et le mystère de l'Incarnation chrétienne dans un contexte tahitien idyllique, empruntant aux figures du temple javanais de Borobudur, dont il possédait des photographies, les attitudes hiératiques de ses personnages aux couleurs chatoyantes. C'est à la magie des couleurs et des formes que Gauguin laisse finalement le soin de traduire cette vie végétative si particulière aux tropiques comme dans *Nafea faa ipoipo* (nº 145), *Vahiné no te miti* (nº 144), *Aha oe feii* (nº 153) ou *Le Repas* (nº 129).

*Idole à la coquille*
1892, bois de fer, nacre et ivoire
Paris, musée d'Orsay
(cat. 151)

*Pastorales tahitiennes*
1892, huile sur toile
Leningrad, musée de l'Ermitage
(cat. 155)

*Ia Orana Maria (Je vous salue Marie)*
v. 1891-1892, huile sur toile
New York, The Metropolitan Museum of Art, legs Sam A. Lewisohn
(cat. 135)

*Vahine no te vi (La Femme au mango)*
1892, huile sur toile
The Baltimore Museum of Art, Collection Cone
(cat. 143)

*Merahi metua no Tehamana (Les Ancêtres de Teha' amana)*
1893, huile sur toile
The Art Institute of Chicago
(cat. 158)

*Te nave nave fenua (Terre délicieuse)*
1892, huile sur toile
Kurashiki, Ohara Museum of Art
(cat. 148)

*Aha oe feii? (Eh quoi, tu es jalouse?)*
1892, huile sur toile
Moscou, musée des Beaux-Arts Pouchkine
(cat. 153)

# Le primitivisme

Avant de chercher en Bretagne, à la Martinique puis à Tahiti les racines de ce qu'on a appelé le primitivisme de Gauguin, c'est en lui-même qu'on en trouve la source vive, lui qui devait ostensiblement accentuer son profil d'Inca du Pérou dans nombre de ses autoportraits (*Autoportrait, Oviri*, n° 214) et cultiver jalousement ses origines « sauvages » dans sa personnalité comme dans son art. Avec insistance, il reviendra maintes fois dans sa correspondance avec sa femme ou ses amis sur cet aspect irréductible, « primitif », de son moi profond. « Cela est cependant vrai : je suis un sauvage. Et les civilisés le pressentent, car, dans mes œuvres, il n'y a rien qui surprenne, déroute, si ce n'est ce "malgré moi de sauvage". C'est pourquoi c'est inimitable » (à Charles Morice, avril 1903). C'est la figure monstrueuse d'*Oviri* (n° 211), « la Tueuse », — Oviri signifie « sauvage » en tahitien — qu'il souhaite voir ériger sur sa tombe dans sa retraite aux îles Marquises. Après l'archaïsme breton (*La Belle Angèle*, n° 89), l'exotisme martiniquais (*Bord de mer*, n° 32), c'est le passé mythique de Tahiti qu'il tente de faire resurgir dans sa peinture et ses gravures (n° 154) hantées de tupapaùs, les terrifiants revenants, ou de monstrueux tikis (n° 173). Ses emprunts à l'art maori ou marquisien nourris de ses visites aux musées de Nouméa puis d'Auckland sont, à dire vrai, très sporadiques et toujours très libres (*Idole à la coquille*, n° 151, *Cylindre décoré de la figure d'Hina*, n° 139). Le primitivisme de Gauguin puise en réalité aux sources multiples de l'Egypte ancienne (n° 133), de l'Inde (n° 138), de Java, du Pérou ou même du Japon, bouleversant les conventions de l'art occidental de la post-Renaissance. Il inaugure enfin l'attitude qui sera celle de toute une génération d'artistes au début du XXᵉ siècle, qui consiste à voir dans les manifestations de l'art primitif non plus de simples objets d'ethnographie mais des objets d'art à part entière.

*Oviri (Sauvage)*
1894, grès partiellement émaillé
Paris, musée d'Orsay
(cat. 211)

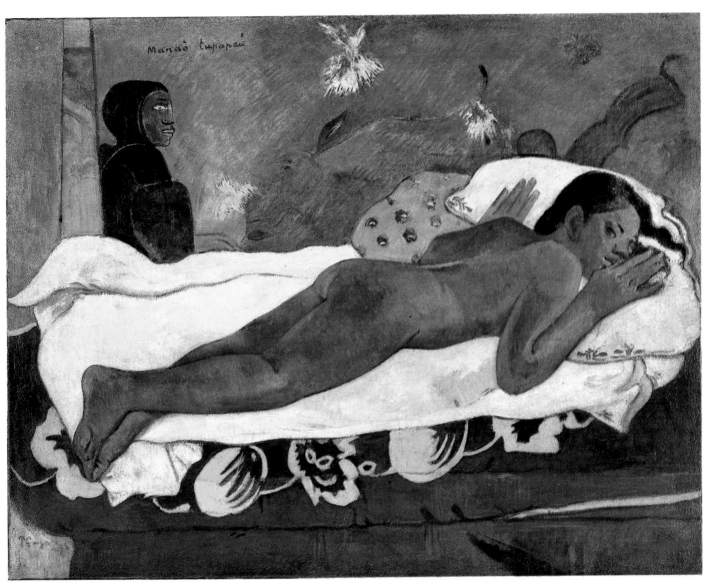

*Manaò tupapaú (L'Esprit des morts veille)*
1892, huile sur toile
Buffalo, Albright-Knox Art Gallery
(cat. 154)

# Le retour en France : août 1893-juin 1895

De retour en France sans un sou en poche, Gauguin a pour première tâche de renouer avec le milieu artistique, littéraire et journalistique susceptible de l'aider à lancer son œuvre à Paris. Cette entreprise difficile va le mobiliser pendant les quelque vingt-deux mois que durera son séjour en France. Outre sa peinture, il déploie une intense activité dans le domaine des arts graphiques, exécutant toute une série de gravures sur bois (voir encadré sur *Noa-Noa*) et ses premiers monotypes de sujets souvent tahitiens ; il se consacre également à la rédaction de trois importants manuscrits avec l'espoir de les publier : *l'Ancien Culte Mahorie, le Cahier pour Aline*, destiné à sa fille et *Noa-Noa*. De cette époque date également son importante céramique-sculpture, *Oviri*.

Durant cette courte période, il s'emploie à faire connaître son œuvre en participant à plu-

Gauguin, *Autoportrait (Oviri)*
1894-1895, bronze
Collection particulière

sieurs expositions chez le Barc de Boutteville, marchand lié à l'avant-garde, et en organisant une grande présentation de ses peintures, pour la plupart de Tahiti, chez Durand-Ruel en novembre 1893. En dépit d'un semi-échec financier, cette exposition aura un important retentissement dans la presse incitant Gauguin à renouveler l'opération en décembre 1894, mais, cette fois, dans son atelier, 6, rue Vercingétorix. C'est dans cet atelier aux murs peints en jaune de chrome et décoré de ses propres œuvres, de ses diverses collections et de meubles exotiques que Gauguin se représente fièrement devant sa toile *Manao Tupapaù* (nº 164) ; au revers figure le portrait de son voisin et ami, le musicien suédois William Molard.

A Paris, Gauguin vit avec une nouvelle maîtresse, Annah dite la Javanaise, âgée de treize ans qu'il fait poser nue en compagnie de son singe dans un de ses plus audacieux portraits (nº 160). D'un bref séjour en Bretagne, il ramènera en outre quelques toiles où se mêlent le primitivisme breton et le souvenir de Tahiti (*La Jeune Chrétienne*, nº 190).

Judith Gérard
*Portrait de Gauguin*
gravure
(Carley 1975 46)

*L'artiste à la palette*
photographie
musée d'Orsay,
service de Documentation

*Autoportrait au chapeau*
hiver 1893-1894, huile sur toile
Paris, musée d'Orsay
(cat. 164)

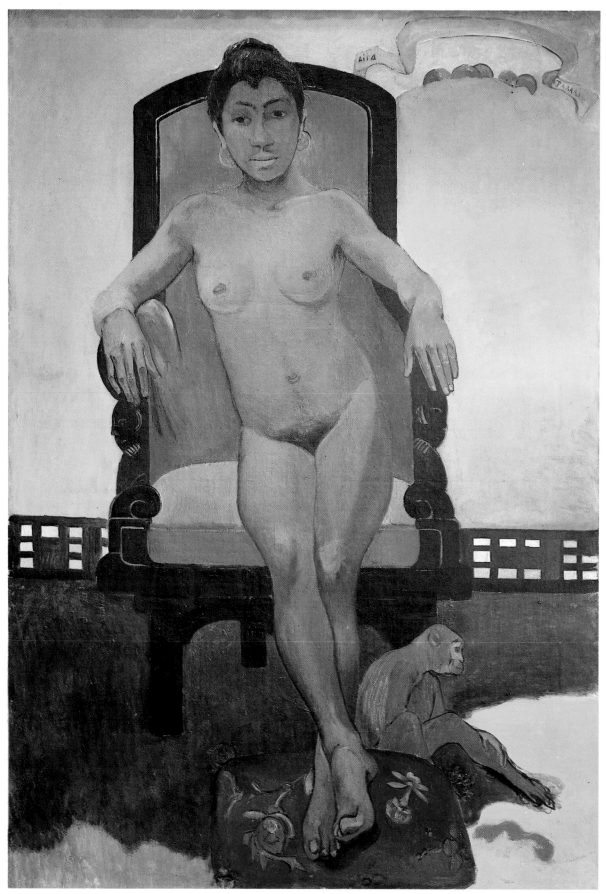

*Aita tamari vahine Judith te parari (La femme-enfant Judith n'est pas encore dépucelée)*
1893-1894, huile sur toile
Collection particulière
(cat. 160)

# La rédaction de « Noa Noa » et les premières gravures sur bois

Dès 1890, Gauguin était très lié avec le milieu littéraire parisien particulièrement celui des écrivains symbolistes. Sacré chef de cette nouvelle école en peinture par un retentissant article d'Albert Aurier, en mars 1891, il avait exécuté en janvier de cette même année ce qui devait être son unique eau-forte, le portrait de Stéphane Mallarmé (n°s 115, 116). Fréquenter les écrivains symbolistes, le jeune poète Charles Morice, Jean Dolent, l'auteur dramatique Rachilde (n° 114) ou, plus tard, le critique Julien Leclercq devait renforcer Gauguin dans ses ambitions littéraires personnelles ; il devait laisser libre cours à son inspiration lors de son retour en France dès l'hiver 1893.

L'entreprise la plus spectaculaire de cette période est la rédaction par Gauguin d'un livre intitulé *Noa Noa* (*Odorant* en tahitien) qu'il destinait à la publication et dont le propos essentiel était d'expliquer sa peinture tahitienne au public parisien. Le premier jet entièrement de la main de Gauguin en fut probablement rédigé durant l'hiver 1893-1894. Ce manuscrit se trouve aujourd'hui au Paul Getty Museum à Malibu. Doutant peut-être de la qualité littéraire de son récit, Gauguin décida de demander à son ami Charles Morice d'insérer dans son texte des poèmes de son cru, qui en illustreraient les différents épisodes. C'est ce dernier manuscrit, par la suite superbement illustré par Gauguin qui y adjoignit des aquarelles originales, y colla des gravures, des photos ou des coupures de presse, qui est aujourd'hui pieusement conservé au Louvre (n° 186 bis). Avant d'embellir son manuscrit de la sorte, Gauguin avait conçu une série d'illustrations sous la forme de dix gravures sur bois reprenant les sujets de ses tableaux tahitiens, gravures auxquelles il se consacre durant l'hiver 1893-1894. Cette admirable suite témoigne d'une invention technique et d'une originalité formelle sans égale dans l'art de la gravure au XIXe siècle, à l'exception de l'œuvre d'Eduard Munch à la fin des années 1890. Malheureusement celles-ci ne furent jamais publiées en regard du texte de *Noa Noa* qui lui-même ne connut, au grand désespoir de Gauguin, que des publications fragmentaires dans *La Revue blanche* et *La Plume* en 1897 et 1901.

*Noa Noa, (Odorant)*
gravure sur bois
The Art Institute of Chicago
Collection Clarence Buckingham

*Te faruru (Faire l'amour)*
gravure sur bois
The Art Institute of Chicago
Collection Clarence Buckingham

*Nave nave fenua (Terre délicieuse)*
hiver 1893-1894, gravure sur bois
Paris, musée des Arts africains et océaniens
(cat. 172b)

# Les dernières années : Tahiti et Hivaoa

Profondément déçu par les progrès de la civilisation européenne à Tahiti pendant son absence de deux ans, Gauguin forma dès son retour à Papeete, le 9 septembre 1895, le vœu de vivre dans un univers plus naturel au contact d'une culture préservée. Il s'installa à Punaauia, à quelques kilomètres de la capitale dans une maison indigène en bambou et feuilles de palmier, qu'il construisit avec l'aide de ses voisins, puis, en 1897, dans une maison en bois.

Les œuvres de cette période se caractérisent par la dimension mythique (n° 215) et religieuse (n° 218), voire symbolique (n°s 220, 222) du sujet, la monumentalité et le sens décoratif de leur composition. Des personnages apparaissent au premier plan seuls (n°s 215, 222) ou groupés en frise (n°s 219, 220, 227) dans un décor naturel où la végétation remplit tout l'espace, bouchant l'horizon. Dans leurs poses arrêtées, ces Tahitiens aux visages énigmatiques, souvent mélancoliques, figurent comme les derniers survivants d'un paradis disparu. Ces tableaux annoncent la grande toile *D'où venons-nous ? Que sommes-nous ? Où allons-nous ?* (Boston, Museum of Fine Arts), testament spirituel et artistique de Gauguin, malheureusement absente de cette exposition en raison de sa fragilité.

Au temps où il peignait avec un savant mélange de références artistiques, culturelles et religieuses ces grandes compositions philosophiques, Gauguin était en proie à de nombreux tourments matériels, physiques et moraux qui le poussèrent à plusieurs reprises au bord du suicide. Il fut hospitalisé quatre fois et pendant ses périodes de convalescence il brossait des natures mortes de fruits et de fleurs surtout (n°s 253, 254, 255) faisant vibrer les couleurs les plus délicates (roses, ocres, violets, vert tendre) et les plus intenses (jaune de chrome, vermillon) de sa palette avec une virtuosité exceptionnelle et une grande audace dans la composition.

En 1901 il décida de quitter Tahiti pour s'installer aux îles Marquises : « Ici mon imagination commençait à se refroidir, puis aussi le public à trop s'habituer à Tahiti », confiait-il à Daniel de Monfreid [juin 1901]. Les tableaux de ces dernières années prennent tantôt un sens dramatique avec *La Fuite* (n° 256) dans un sous-bois aux harmonies violettes, vertes et corail, tantôt un caractère décoratif comme la plage rose où évoluent des cavaliers (n° 278) sur un fond de vagues émeraude effrangées d'écume.

Gauguin fit construire à Hivaoa une vaste maison-atelier sur pilotis. Son nom la « Maison du Jouir » était un véritable manifeste contre les tabous de la civilisation occidentale. Gauguin l'avait entièrement décorée de ses œuvres : peintures, sculptures (n° 259) gravures. La pièce maîtresse de cet ensemble est un chambranle sculpté (n°s 257, 258), qui encadrait, à l'étage, l'accès à l'atelier et à la chambre à coucher. Sur ces panneaux en faible relief, polychromes, des entrelacs de feuillages, des animaux, des personnages (hommes et dieux) accompagnent les devises fétiches de l'artiste « Soyez amoureuses et vous serez heureuses », « Soyez mystérieuses ». C'est dans cet univers peuplé de figures légendaires que Gauguin s'éteignit à l'âge de cinquante-cinq ans.

Gauguin
*Autoportrait à l'ami Daniel*
1897, huile sur toile
Paris, musée d'Orsay

Gauguin, *Autoportrait*
1903, huile sur toile
Bâle, Kunstmuseum

**1901**
10 septembre : Il quitte Tahiti
pour les îles Marquises où il
débarque à Atuona le 16. Il
construit la «Maison du Jouir».
novembre : Il s'installe avec sa
vahiné, Vaeho Marie-Rose.

**1902**
avril : Il refuse de payer ses
impôts et incite la population à
faire la même chose.
14 septembre : Vaeho donne
naissance à une fille Tahiati-
kaomata.

**1903**
février-mars : Il prend la
défense de plusieurs indigènes
accusés d'ivrognerie. Il est
accusé de diffamation à l'en-
contre du gouverneur et est
condamné à trois mois de prison et cinq cents francs
d'amende. Il fait appel.
avril : A la suite d'un nouveau
procès, à Papeete, il est
condamné à un mois de prison
et cinq cents francs d'amende.
8 mai : Il meurt probablement
victime d'une crise cardiaque
après avoir pris une forte dose
de morphine. Il est enterré le
lendemain au cimetière catho-
lique d'Atuona.

*Autoportrait près du Golgotha*
1896, huile sur toile
São Paulo, Museu de Arte
(cat. 218)

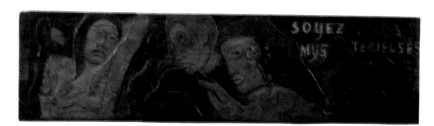

*Cinq panneaux décoratifs de la Maison du Jouir*
1902, séquoia sculpté et peint
Paris, musée d'Orsay à l'exception du panneau *Soyez mystérieuses*
Collection particulière en prêt au musée Gauguin, Papeari, Tahiti
(cat. 257-258)

*No te aha oe riri (Pourquoi es-tu en colère?)*
1896
The Art Institute of Chicago
(cat. 219)

*Nave nave mahana (Jours délicieux)*
1896, huile sur toile
Lyon, musée des Beaux-Arts
(cat. 220)

*Te arii vahine (La Femme du roi)*
1896, huile sur toile
Moscou, musée des Beaux-Arts, Pouchkine
(cat. 215)

*Nevermore*
1897, huile sur toile
Londres, Courtauld Institute Galleries
(cat. 222)

*Nature morte aux pamplemousses*
1901, huile sur toile
Lausanne, Collection particulière
(cat. 255)

# Les gravures tardives

Des premières zincographies de 1889 aux dessins-empreintes des dernières années, Gauguin ne cessa d'innover dans l'art de la gravure par ses inventions techniques et l'audace de ses recherches dans les effets de matière et de lumière.

Il exécuta en 1898-1899 une suite de gravures sur bois (nᵒˢ 232, 234b, 235b, 236b, 237b, 238b, 241a, 242a, 243b, 244b) dont il tira lui-même plus de cinq cents épreuves expédiées à son marchand parisien Vollard, au début de l'année 1900. C'est à cette époque qu'il fit part à Daniel de Monfreid d'une de ses découvertes qui « sera tout un chambardement dans l'imprimerie, surtout l'édition, avec une économie immense et beauté d'impression » (lettre du 27 janvier 1900). Il s'agit probablement de la technique du dessin-empreinte que Gauguin avait expérimentée à Paris en 1894. Il appliquait sur un dessin à l'aquarelle, à la gouache ou au pastel une feuille de papier détrempée et obtenait par pression l'empreinte du dessin, ou contre-épreuve.

Les dessins-empreintes des Marquises (nᵒˢ 248, 249, 250, 252) furent exécutés sur des feuilles de papier velin d'assez grande taille, environ 58 cm × 45 cm. Ils se caractérisent par leur élégance et la sobriété du trait. La plupart des motifs de ces monotypes ont été repris de tableaux contemporains comme *La Femme au chignon* (nᵒ 269) qui figure dans *L'Offrande* (nᵒ 267), ou *Le Cavalier* (nᵒ 274) que l'on reconnaît dans le tableau du musée Pouchkine de Moscou (nᵒ 256). C'est encore cette technique que Gauguin utilisa pour illustrer la couverture de son manuscrit *L'Esprit moderne et le catholicisme* (nᵒ 261a).

Vingt-sept dessins-empreintes furent exposés à la Galerie Vollard en 1903. Ils constituaient le cœur de l'exposition *Paul Gauguin* où le public parisien découvrit, quelques mois après la mort de l'artiste à Atuona, ses dernières œuvres.

*Tahitienne avec l'esprit du diable*
1899-1900, monotype
Collection Pr. H.C. Max Schmidheiny
(cat. 248)

Crédits photographiques :
RMN et collections citées. Tous droits réservés.

Cet ouvrage a été achevé d'imprimer le 6 janvier 1989
sur les presses de l'imprimerie Moderne du Lion S.N. à Paris
d'après les maquettes de Bruno Pfäffli

Le texte a été composé en Centennial par L'Union Linotypiste,
les illustrations ont été gravées par Clair Offset

Dépôt légal, janvier 1989
ISBN 2-7118-2-239-7
8000-473